IZAS, RABIZAS Y COLIPOTERRAS

*DRAMA CON ACOMPAÑAMIENTO
DE CACHONDEO Y DOLOR
DE CORAZON*

Camilo José Cela

FOTOGRAFIAS
DE JUAN COLOM

EDITORIAL LUMEN

Diseño gráfico: Joaquín Monclús

Publicado por Editorial Lumen, S. A.,
Ramón Miquel y Planas, 10 - Barcelona, 34.
Reservados los derechos de edición
en todos los países de lengua castellana.

Primera edición en «Palabra Menor»: 1984

Depósito Legal: B-10762-1984
ISBN 84-264-2996-3
Printed in Spain

De quantas coymas tuue Toledanas
de Valencia Seuilla y otras tierras
Yças Rabiças y Colipoterras
Hurgamanderas y Putaraçanas.
    De quantas siestas noches y mañanas
me venian a buscar dando de zerras
las Vargas las Leonas y las guerras
las Mendez las Correas y Gaytanas.
    Me veo morir agora de penuria
en esta desleal isla maldita
pues mas a punto estoy que sant Hilario.
    Tanto que no se yguala a mi luxuria
ni la de fray Alonso el Carmelita
ni aquella de fray Treze el Trinitario.

                Anónimo, ¿1555?
                Cancionero General. Amberes, 1557.

PREGÓN

—¡Pasen, señores, pasen y vayan pasando! ¡Aquí podrán ver la auténtica Venus Callipigia, con la vergüenza a punto, con una teta al aire y el culo fuera! ¡Entre usted, caballero, a gozar de los antiguos placeres del amor! ¡Espectáculo permitido por la policía! ¡La Ninfa de la primavera, de Cranach, en cueros vivos y con dos perdices picando la verde y fresca yerba! ¡La Diana adolescente, de Boucher, ésta con las perdices ya cadáveres y a punto de asador! ¡Oído, ciudadano, que cuando llegue usted a cadáver será tarde! ¡El Rapto, de Rubens, o el que la sigue la mata! ¡Sólo para hombres! ¡Venus y Cupido, por el cachondísimo Bronzino! ¡La Maja desnuda, de Goya, y Mademoiselle Naná en enagua o el rescate de la ingenuidad, por el francés Manet! ¡Aquí se hace el francés y lo que se tercie! ¡Hay bocadillos variados y numerosas señoritas! ¡Pasen, señores, pasen y vayan pasando!

7

LAVAJES PREVENTIVOS

(De los cueros, del aparato genital, del cerebro)

HABLA EL FILÓSOFO

—La seguridad también puede ser el vacío; nadie se siente más seguro que un muerto. Para San Agustín, el espíritu no disfruta libremente de cosa alguna si no es en seguridad. Asegurémonos. Lávese usted los pies en casa, en un barreño y sin mirar demasiado por el jabón. En el mundo del futuro, a los cabritos, amén del sexo les lavarán el cerebro, para mayor deleite. Lavémonos, vaciémonos, liberémonos de todo lo que fermenta sobre nosotros, dentro de nosotros (la mugre, las ideas, los sentimientos). No vive la seguridad sino en el vacío. Gocemos libremente de la seguridad del vacío. ¡Vivamos vacíos como los muertos!

11

HABLA EL PREGONERO
(Y le hace el contrapunto su conciencia)

—Lavajes preventivos. *¡Qué voz ponía la repajolera para decir: ven, nene, verás qué cositas te hago!* Lavajes curativos. *¡También fue mala pata, engancharlas ahora, que iba a casarme!* Lavajes póstumos. *¡Eso viene mismo de abusar! Al pobre se lo llevaron con los pies para adelante, a resultas de unas purgaciones de garabatillo. Descanse en paz.*

HABLA EL AUGUSTO Y LE RESPONDE EL PAYASO

—¡Apoteosis del permanganato y del aceite inglés!

—Que todo el mundo sabe para lo que es. Y el que no lo sabe, pregunta y a lo mejor se lo dicen.

—¡Triunfo de las gomas higiénicas y del blenocol!

—Y consuelo de que nadie manda a sus naves a luchar contra los elementos.

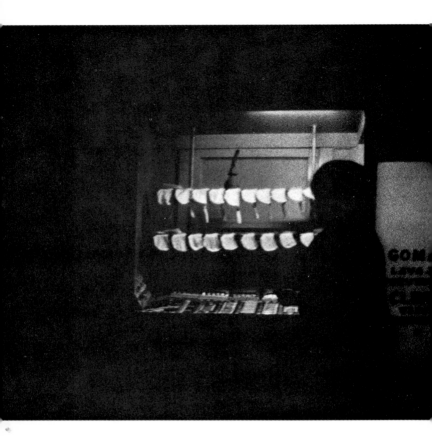

HABLA EL HISTORIADOR

—De las cuarenta y una clases de mujeres fácilmente conquistables de que hablan los Kama Sutra, con doce de ellas debe tomar el hombre la precaución de los lavajes preventivos, a saber: la mensajera, la que mira siempre de reojo, la que no tiene quien la cuide, la que es viuda de actor, la que está orgullosa de su dominio en la cama, la que está casada con joyero, la celosa, la perezosa, la indiferente, la jorobada, la enana y la que huele mal.

HABLA EL GRAMÁTICO

—El diccionario confunde la puta con la prostituta o ramera y a ésta la define diciendo: Mujer que hace ganancia de su cuerpo, entregada vilmente al vicio de la lujuria. Con resignación, más que con vileza, suele entregarse la ramera a la lujuria de los demás, que no a la propia. Dejemos esto. La puta y la prostituta o ramera no son una y la misma cosa, aunque puedan serlo. Propongo la siguiente definición: *Puta.* f. Mujer que fornica. 2. Ramera. Y para la otra voz, la que digo: *Ramera*. f. Mujer que fornica por interés. El pueblo distingue sagazmente lo que el diccionario confunde, y cuando dice «esta chica salió algo puta» o «la vecina del entresuelo es más puta que las gallinas», señala un concepto diferente a cuando, por ejemplo, dice «es una puta de cuarenta duros». En el primer caso se alude a que la dama putea y, en el segundo, a que putea profesionalmente y por interés (el verbo putear está mal definido en el diccionario ya que, sobre putañear, y aun antes, también significa: referido a la mujer, fornicar). Con todas conviene recibir lavajes; sobre todo con las putas vocacionales, temperamentales y amateurs, esto es, con las putas en 1.ª acepción, que las rameras suelen cuidar más la herramienta.

HABLA EL FILÓLOGO

—Mil ciento once son los sinónimos (teoría superada) y los parientes de las voces puta y ramera (sin descriminación, pour le moment). Reseñemos una docenita de fraile de botones de muestra:

Bagasa. Era de pocco seso, façie mucha locura, / Porque lo castigaban non avie nulla cura:

/ Cuntiol en est comedio muy grant desaventu-
ra, / Parió una bagassa dél una creatura. (Gon-
zalo de Berceo. *Milagros de Nuestra Sennora.)*

Baldonada. La muger pública, que es común
a todos por vil precio. (Sebastián de Cobarru-
vias. *Tesoro de la lengua castellana o española.)*

Buscona. Salía de su casa una buscona pira-
midal... (Quevedo. *La hora de todos y la Fortu-
na con seso.)*

Cantonera. ...el otro, como más entendido
por ser un letrado de cantoneras... (H. de Luna.
Segunda parte de Lazarillo de Tormes.)

Cellenca. ¿Quemé yo tus abuelos sobre
Cuenca, / Que en polvos sirven ya de salvade-
ras, / Aunque pese a la sórdida cellenca? (Quevedo. *Riesgos del matrimonio en los ruines casados.)*

Coima. Coyma no estimo en dos chufas / a
las yças desta tierra / que tomare las afufas / por
vos mi colipoterra / soga nueua a Yngalaterra...
(Anónimo. *Carta a una señora en la germania
con su canción.)*

Cortesana. Y lo mejor que tiene es que no es
nada melindrosa, porque tiene mucho de cortesana... *(Quijote.)*

Cotorrera. A vosotras, las busconas, damas
de alquiler, sufridoras del trabajo, mujeres al trote, recatonas del sexto, mullidoras del deleite,
jornaleras de cópulas, hembras mortales, ninfas
del daca y toma, vínculos de la lujuria; lo cual,

17

traducido en castellano quiere decir putas y cotorreras. (Quevedo. *Premática de las cotorreras,* ed. de Astrana Marín que sigue, más o menos, a Tomás Antonio Sánchez. En la ed. de Fernández-Guerra se llama *Premáticas contra las cotorreras* y el texto es tal cual sigue: A vosotras las busconas, damas de alquiler, niñas comunes del trabajo, sufridoras, mujeres al trote, hembras mortales, regatonas del gusto, ninfas del daca y toma, vinculadas en la lujuria, que traducido en castellano quiere decir cotorreras.)

Daifa. ¿Y quieren estas daifas persuadirnos / Que no pueden guardar sus pertenencias / De peligros nocturnos? (Tirso de Molina. *El vergonzoso en Palacio.*)

Descosida. La descosida dijo que de muy buena gana, y levantando el brazo me dio tan gran bofetada, que me echó en el suelo, diciendo: ¿Es tan bozal que pide dineros a las de mi oficio? (H. de Luna. *Segunda parte de Lazarillo de Tormes.*)

Iza. Desta manera salimos de Sevilla con harto sentimiento de las izas... (Mateo Alemán. *Guzmán de Alfarache.*)

Meretriz. Ermanos, yerua mala, diz, non faga rayz; / Fagamos que non pueda alçar çerviz, / Al omne traedor fijo de mala meretriz / Non deuie nul omne creer quantel diz. (Juan Lorenzo de Astorga. *Libro de Alexandre.*)

Mujer del arte. ...lena, lena, tú sí que te pue-

des sola llamar nata y flor de las mujeres del arte... (Alfonso Velázquez de Velasco. *La lena o El celoso.*)

Con las trece —y con las mil noventa y ocho que faltan— el hombre debe ser precavido y usar de los lavajes.

(Las sabidurías dichas están sacadas de *Los Vocabularios del Mal Vivir / En que se tratan / diversas cosas curiosas / que no suelen / tratarse en otros lados / Obrita muy conveniente para Damas y Caballeros / que gusten de dar amenidad a su conversación. / Pliego I / Llamado de / Las Fornicadoras / Lo compuso el Licenciado Don Estanislao de Burguillos / y Pérez, Caballero Vallisoletano y Capellán del Real / Colegio de Doncellas Nobles de la Ciudad de Pastrana. / Cuenca / En la Imprenta de Galo Verdugo. / MDCCXLIII.* La obra que se cita lleva una dedicatoria que dice: A la Muy Alta y Serenísima Señora Doña Ana de Mendoza y de la Cerda, Princesa de Eboli, dama a quien, en la ciudad en que escribo, todavía llaman la Puta.)

HABLA EL MORALISTA

—Habitaciones a 10 ptas. y una de propina, para vicios del prójimo y también para no quedar uno como un hambriento. La sociedad cultiva la flor amarga sobre la que ensañarse: el hospiciano *(Abandonado de tus padres la caridad te recoge)*, el huérfano (y lo pasean de gorra de plato), el preso (¿han oído ustedes hablar del peso de la ley?), la puta (las gentes de orden dicen: —¡Qué vergüenza, en un país civilizado! Y las gentes de orden, aunque por causa inversa a la que piensan, tienen razón), el enfermo del hospital (—Es un caso curioso; conviene quitarle todo tratamiento, a ver lo que dura), el mendigo (—Dios le ampare, hermano, otra vez será). Las putas son como las drogas: dan pesar al cuerpo y alivian el espíritu, a veces, y dan pesar al espíritu y alivian el cuerpo, a veces. Lo malo es que el espíritu y el cuerpo, con tanto alivio, se convierten en humo y se guarecen, como quería el filósofo, en el vacío.

HABLA EL PREGONERO

(Por segunda vez y con fingido sonsonete de gorrión)

—¡Lavajes preventivos! ¡Lavajes curativos! ¡Lavajes póstumos! (Hace una reverencia al público de cabritos que le escucha.) ¡Gomas irrompibles! ¡Gomas lavables! ¡Gomas de primera calidad! (Hace un corte de mangas al tendido.) ¡Y el que no crea en la higiene que se las apañe solo, que eso va en gustos y siempre sale más barato!

El filósofo tiene la cabeza gorda, el pregonero gasta voz de grillo, el augusto padece de los riñones, el payaso luce orejas de burro, el historiador se sabe de memoria la lista de los reyes godos, el moralista mira contra el gobierno, el gramático es maniático y poco simpático, y el filólogo es un pozo de ciencia.

Juntos saludan, ceremoniosamente, y juntos se largan por el escotillón.

23

AQUÍ EMPIEZAN LOS EJERCICIOS ESPIRITUALES LLAMADOS LOS CINCO TRANCOS

¿O cual es más de culpar,
aunque cualquiera mal haga:
la que peca por la paga,
o el que paga por pecar?

Sor Juana Inés de la Cruz

TRANCO DE LAS IZAS

DEFINICIÓN

A las putas y barberos a la vejez os espero, que gañanes somos y en la era, tarde o temprano, nos hemos de ver las caras. ¡Arráncate, muchacha, que tienes con qué y que te sobra para dar y tomar! (Y que Dios te las conserve pero que no te las aumente. Amén.)

La calle es de todos; la mujer es del que la chulea, o la gana, o la engaña, o la paga, por este orden; la pepsi-cola es la bebida de la cordialidad (abrochándose la rebeca a la espalda, se gana en perspectiva); la horchata de chufa es de quien cambia un vaso por diez reales y en paz. ¡Toma chufa, nena! ¡Arrímate, que vuelve el tango!

Las izas suelen ser damas rabiosas y marchosas; peliforras de arrestos y poderío; furcias a las que aún se les aguantan las carnes y, si no, que lo diga, si quiere, el chuleta de turno. Las izas, sin ser la flor temprana, gallarda y saludable (la procesión va por dentro) del oficio, están todavía de buen ver y aún de mejor imaginar. Las daifas primerizas —que no son las izas sino las aprendizas— no follan más que por la tarde y a salto de mata, por mor de la patria potestad.

> ¡Ay, salero! ¡Ay, salero! ¡Ay, salero!
> Con el coño se gana el dinero.

Y cuando el dinero alza el gallo y se delata, aunque sea cantando por fandanguillos, a la moza la pone la familia en la puta calle y aquí no ha pasado nada (salvo que hay una puta más).

—¿A dónde vas con esa cara, pichón?

—¡A donde me da la gana y a ti no te importa, tío lila!

El escalafón de las izas (a no ser que las venéreas lo aceleren) suele renovarse cada seis u ocho años.

FÁBULA

Sí; la calle es de todos: la calle amarga, la calle luminosa, la calle misteriosa, la calle sucia. Detrás de una ventana, ¡poco importa la hora!, el diablo puede estar desvirgando a una niña, o asesinando a un viejo, o viendo cómo agoniza un niño de dos años, o escuchando blasfemar a una ciega, o haciendo abortar a una hija de familia.

(La tía de la Paquita le había dicho:

—No temas, hija, ese señor sólo quiere jugar un poco contigo y ayudarnos...

El hombre que debía dinero al muerto, con una mano en el bolsillo y en la mano una llave de tuercas, le había dicho:

—No puedo devolverle a usted las tres mil pesetas, don Braulio...

El médico, sin quitarse el pitillo de la boca, ¿para qué?, le había dicho al padre del niño de dos años:

—Debe tener usted resignación, amigo Fer-

33

nández. Usted y su señora son jóvenes todavía...

La nuera de la ciega blasfema le había dicho:

—Aquí no podemos tenerla, abuela, ya usted lo ve.

Y después de escucharla rugir que aquella casa era suya, le suplicó:

—Repórtese usted, abuela, por Dios se lo pido, que hay criaturas...

La vecina habilidosa le había dicho a la vecinita preñada:

—No te preocupes, nena, eso lo arreglo yo con un perejil.)

Sí; la calle es de todos: la calle dulce, la calle turbia, la calle abierta como un corazón, la calle siempre sucia. La señorita Esperanza es una araña que pasa sus miedos, como cada quisque. Eso va en días. La señorita Esperanza, desde su atalaya de la puerta del bar, otea el mundo agritierno que late igual que un pecho vivo; que colea y huye igual que el vivo y rojo pez del estanque. La señorita Esperanza, a veces, da un paseo hasta la esquina y vuelve. Lo más seguro es que el fin del mundo sea también una esquina. A la señorita Esperanza, cuando se asusta, se le conoce en el gesto.

—¿A dónde vas con esa cara, pichón?

—¡A donde me da la real gana y a ti no te importa, so mandria!

La señorita Esperanza tiene una amiga que se

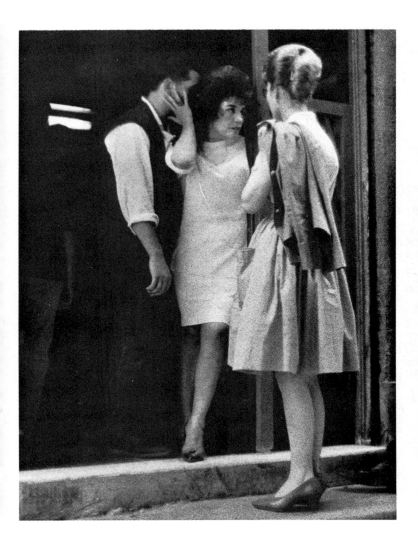

llama la señorita Pepita; se conocieron en el colegio, de niñas, y siempre se llevaron bien. La señorita Pepita no es hembra al taxi, que es cajera en el cubil de un ortopédico. La gente dice que la señorita Pepita y el ortopédico viven como Napoleón y Josefina, salvadas sean las distancias. La cosa presenta poco interés. La señorita Pepita y su novio, que se llama Guillermo y estudia para aparejador, piensan casarse en cuanto él termine la carrera. La señorita Pepita y su Guillermo bailan muy bien el twist, él incluso mejor que ella. La señorita Pepita suele visitar a la señorita Esperanza, quien le cuenta las últimas novedades: que a la niña del 7, vamos a la Paquita, la encerraron en un correccional porque la denunció un señor que iba con buenas intenciones; que a don Basilio, el prestamista, le hundieron los sesos a martillazos; que el nene del 11 se murió, el pobrecito; que doña Julia, la ciega, tuvo una bronca de pronóstico con su hija política porque quisieron meterla en el asilo; que unos niños encontraron un feto en la alcantarilla y que ella no quiere pensar mal, pero se malicia que anda por medio quien ella sabe, etc. A la señorita Pepita le gustan las emociones fuertes. A la señorita Esperanza, quizás porque las tiene más a la mano, le meten el corazón en un puño.

MORALEJA

Ya se dijo: a las putas y barberos a la vejez os espero, y ahora se aclara: cada puta hile, y comamos. Las aprendizas, las primerizas e incluso las izas, se defienden. Lo malo es cuando, al cabo de seis u ocho años, corra el escalafón y empiecen a derrumbarse las carnes, las aprensiones y las ilusiones.

Por encima de las azoteas galopa, muerta de risa y a caballo de un palo, la bruja que sólo ven, sin que les llegue la camisa al cuerpo, los elegidos. Para Carlyle, el sarcasmo es el lenguaje del diablo.

—¡Joder, qué señor más culto!

TRANCO DE LAS RABIZAS

La rabiza es a la iza lo que el brigada al número, en el cuerpo de carabineros. Cuatro son las más señaladas especies de rabizas, a saber: burracas, lumias, cisnes y capulinas. Sobre sus características y propiedades, comportamiento, usos y reacciones, pasamos a hablar de inmediato.

BURRACA NOCTURNA

Ovidio, en su *Ars Amanda*, canta la noche, el tiempo que hace aún más hermosas a las mujeres. Brillan, sobre el asfalto, las luces de las tiendas, las luces municipales, la luz de la luna, y resuenan, sobre el asfalto también, los quedos pasos de los que van a amar; las violentas, irreverentes zancadas de quienes vuelven de amar; el trotecillo piadoso de los vagabundos que, con el cuerpo sembrado de sosiego y en el alma un tenue rocío de esperanza, se echaron a la noche para adivinar, casi cachondos, el amor del prójimo. Algo se pega siempre y el amor es como el buen tiempo, que a todos toca con su tersa piel, que a todos acaricia con su suave aliento.

Los tacones de la mujer retumban, en la noche, igual que prometedores augurios, lo mismo que anhelantes llamadas de socorro. El hombre se siente solo en la noche y la mujer, pese a la compañía, también se sabe sola y sin remisión ni rescate posible. No; no es cierto que la noche se haya hecho para amar: en la noche se ama no más que para huir del yermo desierto de las horas que el corazón pintan de negro.

La burraca nocturna —que los clementes dioses colmen de bendiciones— tiene una niña que se llama Teresita, que va a hacer la primera comunión: Teresita está interna en las monjas y su madre, la burraca nocturna, sueña con que, de mayor, Teresita pueda ganarse la vida con menos servidumbre. Las burracas nocturnas no tienen jamás niños, sino niñas, ni nunca padres sanos, sino enfermos. El abuelo de Teresita está en el hospital. A la burraca nocturna le duele el pensamiento de no poder enterrar a su padre cuando le llegue la hora, que ya se ve venir; a

la burraca nocturna le espanta la idea de que su padre acabe en cuartos en la sala de disección. Los estudiantes de medicina —que suelen ser muy graciosos— llaman el patio de caballos a la sala de disección, se lo contó un cabrito que hizo la otra noche. El puñetero exigía demasiado para su tierna edad, pero los hay que son peores.

De noche todos los gatos son pardos y, para Ovidio, todas las mujeres hermosas. La burraca nocturna no elige, se deja elegir. La burraca nocturna piensa que de noche, casi todos los hombres llevan cincuenta duros en el bolsillo. La burraca nocturna, aunque sea de Hospitalet, habla con acento andaluz, lo que siempre adorna y está al alcance de todas las fortunas.

LUMIA EXOTICA

¿Se acuerdan ustedes de los chinos de los collares? Raquel, lumia exótica, es hija de chino de los collares y nativa del arte (quizás con un abuelo negro o gitano). Raquel, lumia exótica, gasta falda de lamé de plata y fuma por la calle, como las extranjeras. Raquel, lumia exótica, es muy amiga y protectora de un servidor y una vez, que las cosas venían mal dadas, habló en la censura en defensa de las atragantadas páginas de un servidor.

La teoría general de la lumia exótica (que no va con Raquel) es así:

De niña pequeña, vamos, de recién nacida, hace equilibrios entre la vida y la muerte. La saca a flote el chino, que es muy cariñoso, dándole biberones de leche de burra. Primeras letras en las monjas y ligeros toqueteos con el sacristán. A los diez años, porquerías con los vecinitos y conversaciones excitantes. A los doce años pierde el virgo con el papá de un vecinito, empleado del gas. Recibe el primer obsequio: una sortija con una piedra que parece un rubí. Canta por alegrías, que es cante fácil, y se da a las bebidas mediterráneas: vermú, pastis, etc. En el 36, con su padre (como con todos los chinos de los collares) hicieron mortadela. Desde entonces vive por su cuenta y se defiende bastante bien, porque es lista y conoce las costumbres de los hombres. Fuma americano y, si se tercia, trafica en marijuana. Es valiente y cuando surge la chispa de la bronca, parece una pantera. En el barrio la temen y la respetan porque nunca va por derecho. Algunos dicen, en voz baja, que es confidente de la policía. La lumia exótica es especie rara en nuestra latitud, aunque buscando bien pueden hallarse muy hermosos ejemplares. La lumia exótica es apátrida de sentimientos, y va a lo suyo. La lumia exótica se rige por un raro código de la costumbre, según el cual siempre cae de pie. La lumia exótica es puta frígida y despectiva, lo que produce que su clientela de cabritos luzca muy depurada y selecta. Para irse de lumias (y no digamos si la lumia es exótica) no vale cualquiera.

Raquel es lumia exótica que hace excepción a la teoría general. Raquel lucha, a veces con éxito y, a veces, no, contra sus naturales inclinaciones.

CISNE PARA ILUSIONES NIÑAS

¡Qué sonrisa de ángel en la cara del niño que mira putas! En el colegio le metieron miedo —¡vivan las putas!— pero nadie jamás le dijo que una puta, sobre serlo, era también una mujer (redondeemos el tópico: como su madre, como su hermana, etc.). El niño ignora que la puta todavía existe porque las crueles costumbres prohiben el amor. La puta es puta porque la sociedad ni sabe evitarla ni lo intenta siquiera. Prohibir las putas es tan ingenuo como lo sería prohibir el virus del cáncer (suponiendo que el cáncer sea producido por virus). Al niño le metieron miedo en el colegio —miedo al amor y a la mujer, que de la prostitución ni se habla—, y el niño nivela, por arriba o por abajo, a la hembra: todas son buenas y deseables, incluso las putas, o todas son nefandas y contaminadoras, hasta las que mejores pudieran parecer. A los frailes del colegio les convendría leer a Lope: *No hay mujer que sea buena / si ve que dicen que es mala.* Abandonemos este sermoneador tonillo, que allá cada cual. Veamos de poder hacerlo.

Hay cisnes callejeros para ilusiones niñas y hay también niños que van por la calle henchidos de ilusión. El niño suele tardar más tiempo en prostituirse que la niña; depende un poco de las criadas que tenga en su casa —si es niño rico— o de los arrestos y los apetitos de las vecinas —si es niño pobre. En todo caso es doloroso que el niño no vaya a su ser natural y por sus pasos, como el cachorro.

Los cisnes para ilusiones niñas llevan faja y no suelen vestir provocativamente. Si los niños no sonriesen como ángeles a punto de la caída, el cisne callejero, el cisne para ilusiones niñas, pudiera parecer su madre.

—¡Por Dios, Luisito! ¿Qué manera de llevar el jersey es ésa?

El niño idealiza al callejero cisne para ilusiones niñas. El niño ve a la mujer como una meta, como un fin cuajado de restablecedoras perfecciones. Pocos años después —la propia prostitución por medio— el joven, aún ayer niño, verá a la mujer como una etapa, igual que un peldaño henchido de confortadoras promesas. La mujer-cucaña del niño, queda en mujer-palo de cucaña para el joven. Es triste pero es así.

48

Los cisnes para ilusiones niñas viven en fondas sórdidas, heladoras, sombrías. Por las mañanas salen a tomar el solecico del invierno y a repartir la ilusión, a manos llenas y de balde, entre los niños que se fumaron la escuela para verla y sonreírle un poco: tan sólo para verla y sonreírle un poco.

CAPULINA DE NOSTALGIAS ANCIANAS

¡Quién te ha visto y quién te ve, macho en derrota, garañón jubilado, padrote que ya quemó el último cartucho! Sólo hay una cosa cierta y tú la sabes: nadie podrá quitarte la nostalgia.

—Abuelico, que lo veo a usted muy descarado.

—¡Ay, nena! ¡Si te pillara con diez años menos!

—¿Con diez años nada más?

—Bueno; pon los que quieras, que yo ya me entiendo.

La capulina de nostalgias ancianas sabe de cocinera (—Un corriente, señorita.) y de modista (—No mucho, pero también sé algo.).

—¿Y de poner inyecciones?

—No; de poner inyecciones, no.

Lo que no sabe la capulina de nostalgias an-

cianas es leer ni escribir, pero eso no es culpa suya. Tampoco hace el amor con sabiduría aunque sí con cierto entusiasmo (furia española) e incluso con aplicación y buenos deseos de agradar. La capulina de nostalgias ancianas, fuera del oficio, tiende a la holganza, como los lagartos, y a vivir a salto de mata, como los conejos. La suerte es que se arregla con poco porque salió de buen y honesto conformar. De decente, lo pasó peor. En esta vida, todo es según desde donde se mire.

La capulina de nostalgias ancianas se llama Dolores y es de Río Tinto, provincia de Huelva. Dolores canta fandanguillos con mucho sentimiento:

> No hay árbol como el nogal
> ni fruta como el madroño,
> ni cuña que ajuste más
> que lo que yo sé en el coño.
> ¡Viva Pérez de Guzmán!

Dolores es muy patriota y sólo sabe de inglés las palabritas necesarias para irse con los negros de la Navy. Dolores, la capulina de nostalgias ancianas, es trotona incansable, potranca de duros remos que no conocen la fatiga. Dolores no tiene una hija en las monjas; se le murió el año pasado, dicen que de la meningitis.

TRANCO DE LAS COLIPOTERRAS

ZORRA FLACA

A perro flaco todo se le torna en pulgas. A zorra flaca todo se le va en paciencia y en digerir la mala uva que la paciencia cría. Por el mundo abajo se dice que la mujer y la cabra es mala siendo flaca y magra. A lo mejor tienen razón y a lo mejor, no. De nada vale que haya habitaciones si están vacías y ni siquiera resta el consuelo de que haya de llenarlas la esperanza, ni aun la necesidad. Las habitaciones jamás lo son si no están habitadas; una habitación vacía es como un nicho descubierto y aún peor, porque es más grande. Y una habitación vacía es difícil que la llenen la zorra flaca y el cabrito de turno por mucho que alboroten (y no suelen alborotar casi nada).

La zorra flaca no es alegre ni jaranera: es triste y meditabunda, reservada, malencarada y horra de sentimientos (ni buenos ni malos). La alegría y la jarana suelen criarse con las arrobas (aunque no siempre) y huyen del hueso seco y de las carnes lamidas y escurridas. En la cabeza de la zorra flaca se atropellan los pensamientos vengativos, gratuitos y supliciadores, las ideas que inventan siempre lo peor para el prójimo (ese odioso animal que quizás hasta coma caliente dos veces al día).

La zorra flaca es poco cariñosa y trata al cliente a patadas. Para la zorra flaca, el hombre es el enemigo natural, el culpable de que ella se vea como se ve, con un bolso en la mano y esperando, esperando siempre a que caiga un pardillo al que poder ordeñar la parva bolsa y humillar, de paso, el desvalido corazón. La zorra flaca no tiene parroquia porque el que la prueba no repite: huye. Hay aficionados a quienes les gusta que los traten mal, pero de otra manera. Cada cual se corre como puede, ya se sabe, y aquí sí que no vale opinar.

La zorra flaca no se llama con un nombre dulce y delicado como un silbido (María, Lucía, Sofía, Rosalía) sino con un nombre áspero e ibérico, así la garduña del monte (Visitación, Encarnación, Presentación, Consolación). Al cargo hay que vestirlo, ¡diga usted que sí, hermanita de leche!, y a los generales en camiseta no les

miran a la cara ni los sobrinos pobres, esos que siempre sonríen a cambio de lo que caiga (aunque lo que caiga tan mísero fuere que haya que rastrearlo con podencos).

—Gracias, tío, es usted muy generoso con un servidor. Que Dios se lo pague.

La zorra flaca atiende por Paquita, alias la Borde; los conocidos le llaman la Borde, que quiere decir la áspera, la cerrera (trigo borde, centeno borde, olivas bordes). La Borde tiene lombrices y fuma celtas. La Borde, a falta de mejores crianzas, cría pelos en el pecho. Se dice: mujer vellosa, o rica o lujuriosa. No es verdad: la Borde es pobre como las ratas, fría y solitaria como las ratas bordes de la alcantarilla.

Paquita la Borde, vamos, la zorra flaca, se bebió una botella entera de lejía, hace ya algún tiempo, se conoce que harta de pasarlo mal. En la casa de socorro la devolvieron a la desesperanza.

ZORRASTRÓN CUMPLIDO

La mujer, el melón y el queso, al peso. ¡Toma del frasco, Carrasco, que sale un miura por la puerta grande! Las moras murcianas, en pasando de cierto tonelaje, suelen ser bocado gustoso

para judíos manchegos y demás fauna a quien la ley veda catar el tocino fuera del catre.

—¿Y usted qué piensa de todo esto, fray Gerundio?

—Pues ya ves, hijo, lo de siempre; que más vale tener que desear.

El prudente Jochanan Ben Sakkai, el Viejo, en su aleccionador *Tratado de zorrastrones*, aconseja al creyente volver la cara para huir del pecado carnal: que contra más carne, más pecado, porque también hay más pulgadas para arregostarse y más libras con las que, torpemente, regodearse.

(Hasta aquí, la teoría.)

A Juana la Loca, zorrastrón cumplido, la desdoncelló el secretario del ayuntamiento de su pueblo a cambio de dejarla mirar una autopsia. A Juana la Loca, zorrastrón cumplido, la encanalló el secretario del ayuntamiento de su pueblo a cambio de dejarla mirar cinco o seis autopsias.

—¿Y qué edad tenía la moza?

—Pues ya usted lo ve: doce años, la mejor edad para el sentimiento.

Juana la Loca, zorrastrón cumplido, le cogió el gusto al veneno y lo demás vino rodado y por sus pasos, que el acierto estriba en arrimar candela a tiempo y a la sangre: que a más tomate, más rijo, y si no que lo digan los toreros, los ver-

dugos y los matachines.
(Hasta aquí, la poesía.)

Avempace, moro platónico aragonés, habla
en su *Guía del solitario* de Khadija la Cuarterona, zorrastrón cumplido natural de Calatayud,
que pesó noventa carniceras (unas diez u once
arrobas) y vivió por encima de los doscientos
años (desde la partición del reino de Asturias
hasta la conquista de Zaragoza por Alfonso I), a
la que los historiadores suponen concubina de
Abd al-Rahmán Sanchuelo y cómplice en el ase-
sinato de Abd al-Malik al-Muzaffar —hermano
de su real pagote— quien, con el bandujo em-
ponzoñado, cascó a las bardas de un convento
armilatense sin que lo socorrieran ni la paz ni la
caridad.

Maimónides, judío aristotélico cordobés, cuenta en su *Guía de perplejos y descarriados* las ha-
zañas de Ghenziana-Sara Turquí, también cono-
cida por Sarita la Congrio, zorrastrón cumplido
natural de Baena, que pesó cuarenta talentos
asirios (más que la Cuarterona) y que, según parece, descendía de Agatángelo, ministro de Tiri-
dates II, rey de Armenia, y hombre muy dado a
los placeres del mantel y la colcha. Sarita la
Congrio fue célebre por sus amantes (Aznar Ga-
líndez, Iñigo Arista, Guillermo de Aquitania), todos muertos del sarampión.

(Hasta aquí, la leyenda.)

Al zorrastrón cumplido, como al avecica del aire (y aún más, al buitre) jamás le falla el próvido, el casi mágico sustento, porque los transeúntes, los contribuyentes y los miembros del sufragio universal, al verla poderosa, la invitan a gambas con gabardina, a pinchitos morunos, a ración de caracoles y a banderillas de gamba y pimiento rojo, huevo duro y aceituna, trocito de queso y esquirla de mortadela. ¡Qué bendición de Dios! El zorrastrón cumplido, que es de natural saludable y de artificial afable (y un sí es no es acolchado), luce sus esferas tersas y voluntariosas en señal de gratitud al mirón, que todo —hasta las miradas de quienes van de paso— ayuda a redondear las situaciones.

(Hasta aquí, el pan nuestro de cada día.)

Mas tiempo llegará en que los primores rueden por el suelo y al zorrastrón cumplido, ¡qué dolor!, le cuelguen las deshinchadas tetas hasta las rodillas. ¡Ay, Juana la Loca, hija de Juan y Juana, quién te ha visto, quién te ve y quién te verá! ¿Qué se hicieron tus carnes rebosadas, tu andar marchoso, tus ojos hondos, tu pelambrera suelta, tus ajorcas, tu falda a cuadros, tu voluntad?

Sobre el adoquinado que pisan los marineros, los bujarrones, los guardias y los vendedores ambulantes, aún retumba —casi imperceptible ya— el recuerdo de Juana la Loca, zorrastrón cumplido que vivió, igual que el viento, de sus propias fuerzas. ¡Ah, la historia, la historia!

(Y hasta aquí, el sepulcro: el tablado de la queda e igualadora danza de la muerte.)

VULPEJA ENANA

La mujer se hizo de una costilla del hombre: es una manera de hablar y de decir las cosas. La mujer es semoviente de tamaños y portes variados; a veces, del jamón de una mujer sale otra mujer entera y aún sobra carne para un cocido que esté bien, para un cocido a medio y equilibrado andar del hambre y el despilfarro. A Margot, vulpeja tachuela, le puede caber tanta amargura (y también tanto odio) en el corazón como a una giganta: que eso no va en varas ni balanzas, aunque sí pueda escapar, ¡vaya por Dios!, en ayes y suspiros. Margot, vulpeja chuchumeca, tiene un alma como la de cada quisque (ni más pequeña, cuando arda en los infiernos, ni más grande, si llega a saltar de gozo en la gloria), y un ángel de la guarda, medio haragán y medio distraído, que a veces le asoma las alitas por el escote, puede que para avisar. Margot, vulpeja zanquillas, estuvo la mar de años sin explicarse por qué, si le crecían las tetas, no le crecían, también y a juego, las piernas y los brazos y la espina dorsal. Hace ya mucho tiempo que Margot, vulpeja menina, dejó de cavilar en estas hueras vanidades.

El señor Domingo, un riojano grande como un camello que tiene una tienda de comestibles finos y es muy gracioso, suele meter a la Margot en la cama dos veces al mes. El señor Domingo se ríe las tripas llamándola liliputa, tirándola de la cama abajo y meándole por encima, si se distrae. Después le da diez duros, le dice ¡a ver si creces! y se va con la satisfacción del deber cumplido.

—Y ella, ¿qué hace?

—Nada, ¿qué quería usted que hiciese? Dar las gracias y sonreír, que para eso está.

Margot, vulpeja títere, se mama por las noches con ajenjo, igual que los nefandos poetas que, según sople el viento, lo mismo riman dulces versos piadosos que amargos y violentos versos blasfemos. A Margot, que no tiene buen vino, le enseña la oreja la mala baba en cuanto empieza a ver doble o confuso.

—¿Y entonces?

—Entonces lo más prudente es irse porque la Margot, ahí donde usted la ve, es muy comprometedora. Un día armó tal monote que vino la bofia y cayeron lo menos veinte mujeres en la redada; la única que libró fue ella, que fue quien metió los perros en danza. Tuvo suerte, porque se achantó detrás de un barril de cerveza y no la

vieron. Lo que ella dice: en la torre cae la cente-
lla y no en la cueva. La Margot, cuando quiere,
es muy bien hablada. ¡Como es de Burgos!

La Margot no se llama Margot, que se llama
Matilde González Revillarruz y es de Salas de los
Infantes, a orillas del Arlanza. La Margot tiene
otros seis hermanos, todos de buen ver y parecer, que viven en el pueblo, casados como Dios
manda y trabajando bien y a gusto de sus amos.
La gente dice que la Margot, vulpeja enana, se
quedó enana y se fue vulpeja porque tenía ma-
las inclinaciones y Dios la quiso castigar. A lo
mejor es al revés y la Margot vulpeja enana, se
metió a vulpeja a la fuerza: porque le gritaban
que no servía para maldita la cosa, y le tiraban
piedras y se cachondeaban de ella, al verla enana. (Lo del mal café se le crió solo y con los
años.)

ZORRUPIA VENTILANDO LOS INTERIORES

SERMÓN DEL AIRE

El aire es elemento natural que sostiene a los
pájaros, transporta las voces y los sonidos, y mata los miasmas. El aire es necesario para la vida
del hombre, de los animales y las plantas, y tam-

bién para gozar el delicado aroma de las violetas y barrer el acre y punzante hedor de los interiores. Una mujer que se precie debe ventilar los interiores, los propios y los ajenos, y no ser guarra ni condescendiente. La falta de aire cría mohos y enfermedades, vermes y pestilencias. En el extranjero, las mujeres se ventilan los interiores un día sí y otro no, para conservarse sanas y juveniles. ¿Cuándo llegará el día en que podamos decir lo mismo de la mujer española?

SERMÓN DE LA ANDROFILIA Y LA ANDROFOBIA
También llamado del cuévano por donde entra y sale el viento

Hay interiores andrófilos y siempre ventilados (aerófilos), e interiores andrófobos y permanentemente clausurados (aerófobos). También hay interiores eclécticos, que hacen a pelo y a pluma y se ventilan o no, según se tercie. Benita Salduero Villatuelda, alias Mundicia o Escarola, que eso va en gustos, es zorrupia de interiores andrófilos y propensos a la ventilación; algunos clientes finos se lo agradecen, bien es verdad, pero ella piensa que la mayoría ni se percatan.

—¡Protejamos al hombre contra las consecuencias de su desprecio a la higiene! —rugía

Mr. Condon, agazapado en el limbo de los jus-
tos, tras hojear el *Harris's List of Covent-Garden
Ladies for the Year 1783*— ¡Prediquemos con el
ejemplo! ¿Le envuelvo una docenita?

SERMÓN DE LAS ALABANZAS

Mundicia tiene instalado su cuartel general en
el bar. Mundicia desayuna en el bar, regula el
vientre en el bar, recibe (cada seis u ocho semanas) una carta en el bar, se da al tratillo de sus
propios encantos en el bar, mea en el bar, huel-
ga en el bar, se airea los interiores en el bar,
duerme la siesta en el bar y —a veces y si alguien
paga— se toma una copita en el bar (benedicti-
ne, chartreusse, quizás anís dulce para forrar el
hígado).

Mundicia figura, probablemente, en el inven-
tario del bar: con el mostrador, las anaquelerías,
las banquetas, las lámparas y la vajilla. Mundicia, en el bar, está de retén y de imaginaria, al
tiempo, y no se concibe si no es pegada al bar,
latiendo a su mismo ritmo, fundida con él y hecha carne de su propia y afanosa y remolcada
carne de inmediatos recuerdos y aplazados olvi-
dos que jamás llegan a olvidarse del todo y para
siempre. ¡Qué cosa rara, la memoria!

Mundicia no se queja de su suerte porque se

siente a gusto en el bar, respaldada por el bar y su aire. A Mundicia le llenaría de dolor que el bar le sobreviviese, pero éste es un pensamiento que se calla (casi discreta), quizás para no provocar al destino. Mundicia se sabe segura porque intuye que los dos —ella y el bar— igual que viven juntos, juntos han de morir (como los amantes de Teruel). A Mundicia le encoge el ánimo la fría e indiferente —y calculada— estampa del hospital: la casa que vive siempre, aun llena de muertos, y que jamás se muere ni se estremece al tiempo de morir, estremecidamente, sus fieles amigos. Mundicia pide a Dios que no la obligue a morir en el hospital. Es mejor quedarse en medio de la calle, de golpe y de un aire colado que se pose, igual que un cuervo, en el corazón.

—¿Vamos, Benita?

—Espera que cojo el bolso.

ZORREZNA HECHA PARA VIVIR EN SOCIEDAD

Petrita es la zorra política de Aristóteles, la zorrezna hecha para vivir en sociedad. Petrita es maturranga peripatética, gaya que adiestra paseando (al raso o bajo techado, que eso va en etimologías). Petrita, ¡qué lástima que el mundo

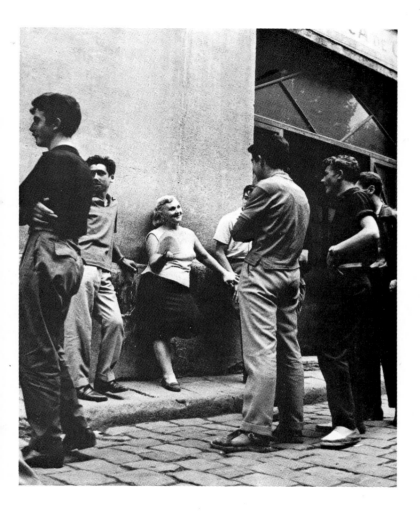

ruede escorado!, hubiera hecho una singular madre de familia.

—El día que acierte las quinielas, me vuelvo al pueblo y me caso por la iglesia.

Petrita es tusona afable y que cultiva (bien es cierto que sin esfuerzo alguno) el arte de la conversación. Petrita, como los pensadores progresistas (Eudemo de Rodas, Aristoxeno de Tarento, Dicearco de Mesina...), se apoya en la juventud, siembra su semilla en la juventud, se deja sembrar —que la política es arte recíproco— por el fresco y remozador semen de la juventud.

—El día que acierte catorce resultados me vuelvo al pueblo, me caso por la iglesia y abro una fonda.

Petrita tiene un corazón capaz de abrir fondas e ilusiones propias; un sentimiento capaz de mantener inhiesta la ajena esperanza; una sonrisa capaz de no dejar de sonreír por los siglos de los siglos y pase lo que pasare. Antes de las explosiones atómicas y de los vuelos a la luna, se llamaba caridad al conjunto de estas capacidades. (Las buenas costumbres se van perdiendo, pero esto —bien mirado— no es culpa ni de Petrita ni de sus discípulos.)

—Cuando calienta el sol...

—...aquí en la playa...

—...siento mi cuerpo vibrar...

—...cerca de ti... (Mutación.) ¡Qué gilipollez, hermano!

Petrita se sabe de memoria lo menos cien boleros. A Petrita le gusta bailar y jamás dice, cuando la sacan a bailar, que está comprometida o que le duelen los pies. Petrita es sota pobre y feliz (se supone que feliz), tronga que aún no perdió la fe ni la alegría; la historia, a poco que uno se aplique, no es muerto difícil de enterrar.

—Cuando calienta el sol...

—...aquí en la playa...

Petrita, zorrezna hecha para vivir en sociedad, se sabe de corrido todos los boleros que tocan por la radio.

TRANCO DE LAS HURGAMANDERAS

Sigamos cayendo, que ya falta poco. Facilis descensus avernis, dice Virgilio en la *Eneida*: irse de cabeza al infierno no es de las cosas más difíciles ni meritorias que el hombre puede hacer. Este es el tranco de las grofas a caballo de la letra *ch*, aún anteayer chavalas chanchi y hoy chalecos del charrán chalaneo de los chulos, los chacales con chancros en la chorra y el alma. ¡Oído al parche y que Dios nos coja confesados!

CHAI PREÑADA

Las chais son hembras muy propensas a la maternidad, tomascas que lucen siempre verriondas y preñadas: siempre en la muga y pariendo o abortando y con los bajos revueltos, sanguinolentos y dolientes. (Los cronistas saben de la vida y milagros, de la perra vida y los audaces prodigios de la chai Pepa la Torionda, rodona cartagenera que cagó doce fetos en doce años, uno detrás de otro —los fetos y los años— y sin dejar de aplicarse al oficio ni una sola noche: que más cornás da el hambre y, a panza vacía, todo es sequía.) Las chais, por lo común, gastan el porte distinguido: parecen boticarias o bibliotecarias o viudas de funcionario muerto, aún joven, en acto de servicio. Lo que no son las chais, por lo general, es guapas (suelen tener la nariz caballuna y el pellejo pintado de barrillos) ni bien intencionadas (lo que se debe disculpar).

Marta la de la Ginebrosa, lumi-lumia-lumigacha de verderoles y desmemoriada germana para uso de solitarios, abandonados y malditos, perdió ya la cuenta de sus cuentas y sinsabores: el rosario de los polvos convertidos en polvo de la tierra. Marta la de la Ginebrosa arrumbó catorce o diez y seis años de su vida en un lupanar de pueblo, manflota de manflas para señoritos bronquistas, fuerzas vivas de incógnito y jornaleros en noche de sábado. Cuando llegó de huida a la ciudad, Marta la de la Ginebrosa, con treinta años a los lomos y treinta duros escondidos en las tetas, sintió miedo y se cobijó al arrimo de un ribaldo de bigote en forma que, a cambio de desplumarla, la espabiló. El mozo, que se llama-

ba Fernandito Alboloduy y era natural de Benta-
rique, Almería, murió de un pinchazo que le
arrearon en mitad de la calle y justo en la misma
mitad del corazón. Marta la de la Ginebrosa, que
no quería líos, echó serrín a la sangre del recuerdo y, visto y no visto, cambió de chulo. A rey
muerto, rey puesto, y el que se fue a Sevilla perdió su silla. Y aquí paz y después gloria. Amén.

Marta la de la Ginebrosa, partido judicial de
bre indica, en la Ginebrosa, partido judicial de
Alcañiz, que es terreno muy renombrado por
sus melocotones. Marta la de la Ginebrosa no
quiere vivir en su pueblo por mor del que dirán.
Marta la de la Ginebrosa no está esperando un
hijo: está no más que preñada y a lo que se ba-
rrunta —y no hay que ser un podenco para ba-
rruntarlo— en los meses mayores, que son también los más cómodos y llevaderos. Entre cabritos del adoquinado (viciosa especie que debiera
estar prohibida por la policía) hay cierta afición
a las chais grávidas, a las perendecas encintas y
a punto de ser llamadas jedas, como las vacas
paridas, aunque no críen a sus pechos la muerta
rastra, el estrangulado lobatón al que la atroz
costumbre elige como cordero del turbio sacrificio. Marta la de la Ginebrosa, cantonera que lleva pegado al culo polvo de todas las esquinas de
la ciudad, se sabe de corrido la gama de las
siempre heredadas querencias de los hombres.

76

CHAMICERA COMIENDO PIPAS

Las chamiceras, como los guacamayos, se alimentan de pipas de girasol, la flor política siempre orientada al sol que más calienta. La técnica del escupido de los restos no es fácil y hay chamiceras que se pasan años y años ensayando hasta conseguir un estilo depurado o, al menos, correcto. Paulina, chamicera que come pipas de girasol, lleva ya mucho tiempo adiestrándose en el escupido, detalle que cuida como pocas. Paulina es de la provincia de Jaén, de un pueblo al que dicen Sorihuela, y pone mucha atención en todo cuanto hace. Paulina, de niña, vivió con un tío relojero y se conoce que se le pegaron las mañas y las paciencias. Todo pudiera ser porque las criaturas, según es bien sabido, son muy propensas a la imitación (de ahí el valor del ejemplo).

Las chamiceras, como los guacamayos, son fauna longeva, ganado que llega a centenario con frecuencia e incluso con cierta facilidad. En el hospital de Toledo murió, durante la república, una chamicera de ciento veinte años que se llamaba Belén Raposo y era de Orense, capital; del suceso se ocuparon los periódicos (aunque sin sacar conclusiones). A Paulina, sin que se sepa demasiado bien por qué, también le gustaría llegar a centenaria y morir en el hospital de Toledo, que es muy histórico.

Las chamiceras, como los guacamayos, suelen vestir alegremente; tienden a taparse las carnes con ropajes de vistosos colores: verde, rojo, naranja, azul ultramar, etc., todo junto y bien combinado o todo revuelto y según caiga, que eso va en suertes y casualidades, más que en gustos y previsiones. La chamicera Paulina masca pipas de girasol y escupe por el colmillo lo que le sobra, embutida en su trajecico de shantung, que es telilla barata, jolgoriosa y casi incontenidamente divertida (como un negrito en cueros). La chamicera Paulina, escupido va, escupido viene, roza las lindes del yoga, el penúltimo estado de la gracia que nos vacía el dolor como el agua de un cántaro que se rompe sin un solo quejido. La chamicera Paulina —sépase bien sabido— alborota pero no se lamenta. ¿Para qué?

Las chamiceras, como los guacamayos, tienen la voz chillona y el pensamiento ordenado en circunloquios y otras artísticas volutas. Las chamiceras, como los guacamayos, son pájaros grandes y poderosos, que gastan la pólvora en salvas pero que pueden vivir y hasta reproducirse en cautividad. La chamicera Paulina, comiendo pipas a la puerta de su nido, muy bien pudiera servir de adorno al capítulo que trata de los rasgos, características y costumbres del guaca-

mayo jacinto *(Anodorhynchus hyacintinus)*, del guacamayo rojo y verde *(Ara chloroptera)*, de la guacamaya *(Ara militaris)* y de la aracanga *(Ara macao)*, en el epígrafe de la historia natural que dicen ornitología o tratado de las putas, los pájaros, los peces voladores y los caballitos del diablo.

CHURRIANA CON CARA DE TORERO

Si tú te hicieras preñada,
se engendrara algún vestiglo,
si no es que, en vieja, de un churre
se fraguase el Antecristo.

Quevedo.

A Carmen Pálmaces Angón, alias Duquesa, churriana con cara de torero y andares de guardia civil en uniforme de gala, le huele a rayos el pellejo. A lo mejor, a Carmen Pálmaces Angón, alias Duquesa, lo que le pasa es que está podrida y no lo sabe o, si lo sabe, se lo calla, que todos tenemos que vivir, aun los podridos (y éstos más, que han de gastarse los cuartos en boticas).

Carmen Pálmaces Angón, alias Duquesa, tiene dos hijos de veinte o veintitantos años: la Carmencita, que es partera (ahora les dicen profesoras), y el Julianín, que es practicante (hoy los llaman auxiliares de medicina y cirugía menor) y pedicuro (desde hace poco los nombran podólogos, ¿no te jode, la manera de señalar?). Las golfas y los enfermos crónicos, siempre han demostrado gran afición a los oficios médicos o paramédicos y parientes.

Carmen Pálmaces Angón, alias Duquesa, tuvo un novio torero y medio chulángano, el Niño de Jirueque II, que le pegó unas purgaciones de pronóstico y, puede que para compensar, el gesto de ir a comerse el mundo por la mano y de un momento a otro. Al novio de la Carmen, vamos, al Niño de Jirueque II, se le bajaron los humos del pie de paliza que le arrimó una noche un señor con pinta de no haber roto un plato en su vida y que, para mayor escarnio, ni siquiera se quitó la chaqueta. A veces, en esto de las broncas, se lleva uno muchas sorpresas. Aquella noche, el primer sorprendido fue el Niño de Jirueque II; después, los mirones, y después su coima. El señor que lo puso a caldo ni se inmutó y siguió tomando copitas como si tal cosa. ¡Caray, qué tío!

Carmen Pálmaces Angón, alias Duquesa, cuando estaba de mejor ver, hacía de animadora en La Mulata, un cabaret de las afueras que acabó cerrando el gobernador civil. A Carmen la echaron a la calle antes de la orden gubernativa, porque descalabró a un músico y, para colmo, se insolentó con el encargado, al que llamó maricón, y explotador, y otras lindezas. La Carmen fue siempre mujer marchosa y de mucho temperamento, churriana bien churreada de churre y con cara de matador de reses bravas (novillostoros).

TRANCO DE LAS PUTARAZANAS

O JUBILEO DE LAS POMPAS Y VANIDADES

Ahora sí que va de veras. Finis coronat opus. De la vejez no se libra más que quien muere joven. Caminemos a trancas y barrancas el tranco de las putarazanas, el jubileo de las hueras pompas y las horras vanidades de este bajo mundo. He aquí el principio del fin. En el dintel de la puerta del infierno, el Dante leyó tres versos di colore oscuro:

Per me si va nella cittá dolente.
Per me si va nell eterno dolore.
Per me si va trà la perdutta gente.

LA ALEGRE CARCAVERA
(Catilinaria)

¡Oído al crujir del mundo! ¡Abran calle, que pasa la alegre carcavera vestida con las flores de los muertos! La manda San Lucas para lección de quienes ahora ríen olvidando que llegará el tiempo en que giman y lloren. No hay prisa para llamar al llanto, que ya vendrá, ya, con su cauteloso trotecillo de lobo. Tampoco hay prisa para espantar a la alegría, que ya huirá, ya, con su presuntuoso y escandaloso y siniestro batir de alas de gavilán. De momento abran calle, que pasa la alegre carcavera pisando fuerte, como una reina.

—Ponme otra copa de aguardiente, muchacho, que quiero ahogar el hediondo hedor del cadáver que llevo a cuestas.

¡Háganse a un lado, que pasa la alegre carcavera! ¡Redoble el tambor de Baudelaire sobre las zarzas y las margaritas del más olvidado cementerio, allí donde la carcavera se desnuda en honor de nadie! ¡Guardad el fuego en el que habéis de arder! Que nadie queme (espantadamente) ni el gozo ni el dolor: la rítmica andadura del motor del tiempo devorando ilusiones y congojas. No hay prisa para convocar al gozo, que ya vendrá (o no vendrá) con su tacto suave. Tampoco hay prisa para aventar el dolor, que bien

pegado lo llevamos al hueso. ¡Dejad que la alegre carcavera pase, gozosa y dolorida, por las calles de la ciudad! Un pasodoble, maestro, por favor.

—Desnúdate, amor mío: ha llegado la hora de morir. Abre la ventana o hunde la tierra, haz lo que quieras, para que juntos (como hasta hoy hemos fingido vivir) podamos agonizar respirando el olor del cadáver del mundo. También para que juntos podamos agonizar escandalizando (como hasta hoy hemos fingido hacer) a los poderosos vecinos que tanto temen a la muerte. Desnúdate, amor mío, en honor de nadie, a la abierta boca de una sepultura.

La carcavera se llama Ninon, que es nombre de mucha alegría, nombre para ser pronunciado por los poetas y los amadores. (Este es el principio del fin, mal que a todos nos pese. Fugit irreparabile tempus.) Ninon tuvo una vez veinte años, y antes diez y seis, y después treinta. Ninon tuvo una vez un amante, y antes un novio y después una caravana entera de cabritos, y aún después, una inmensa soledad.

—Sírveme más aguardiente, muchacho, que me da náuseas la tufarada de los cadáveres solitarios.

Ninon es muy alegre (algo de esto ya se dijo). Ninon está muerta desde hace ya muchos años. Lo que pasea por la calle de la ciudad vacía no es Ninon: que es el demonio vestido de Ninon.

A Ninon le huele el aliento a niño muerto (o a gato muerto o a cabra muerta, que es lo mismo). Ninon no quisiera haberse muerto jamás.

¡Descúbranse, que pasa el entierro de un pobre! (Brinden al cadáver los lirios a manos llenas.)

LA DESMIRLADA
(Clases pasivas)

Ni mira ni la miran; quizás sea el destino de las desmirladas. (Es duro no morirse a tiempo y todavía con la sonrisa pintándose en los labios, y no demasiada amargura en el corazón.) Todas las jubilaciones son dolorosas, pero ninguna lo es más que la de la marquida en desamor, la currutaca con las carnes gastadas, la pencuria con el alma a remolque y la voluntad al pairo y derruida. Andrea la Garbanzona (antes le decían Onza de Oro), desmirlada en la escala de reserva, ya ni mira. ¿Para qué, si no la miran? Hubo un tiempo en el que Andrea la Garbanzona paleaba los duros como grava y, ¡viva el rumbo!, regalaba rubíes a los hombres que la hacían gozar; pero eso ya pasó para siempre. Andrea la Garbanzona no supo guardar —y los criados a sus pechos sí supieron gastar— y ahora se ve como se ve: en clases pasivas y trotando, trotando siempre en espera del triste gurriato que la encame y le pague un café y una copeja de anís. (A veces pasan semanas enteras sin que se deje ver con su rijosa y meritoria caridad.)

Las desmirladas, como sus cofrades las desorejadas, son consejiles en las últimas, mozcorras de desecho de tienta y cerrado, baldonadas que están ya para el arrastre y sólo esperan la alborotadora presencia de las mulillas. Las desmirladas, pendangas del último saldo, sueñan (sin mirar a nadie) con la providencia del hospital.

Andrea la Garbanzona, cuando aún la llamaban Onza de Oro, acariciaba la idea —que el tiempo se encargó de hacerle fallar— de que jamás habría de ser vieja. Andrea la Garbanzona (antes Onza de Oro) pensaba que los años no zurraban su atroz azote sino sobre los desguarnecidos lomos de los pobres, porque los ricos, ¡qué egoísta piedad!, morían jóvenes y en brazos del triunfo. El calendario se encargó de mantenerla viva, puede que para escarmentarla en su soberbia.

Andrea la Garbanzona vive a salto de mata y malvive de la clemencia de los demás. En el barrio no la miran pero la respetan y no le pegan patadas, lo que siempre es muy de agradecer. Andrea la Garbanzona, aunque fue más rica que nadie, no es orgullosa y está siempre dispuesta a corresponder con sus favores y su mejor vo-

luntad a las mercedes recibidas: asistiendo a un parto, cuidando a un niño, haciéndole una pajita al mozo tonto del 3 (que tiene ya veinticinco años y el médico dice que hay que resolverle el problema sexual), velando a un enfermo, amortajando a un muerto, etc. Andrea la Garbanzona, desmirlada en clases pasivas, es muy respetada en el barrio. No la miran, es cierto, pero la consideran y respetan mientras, poco a poco, se va muriendo de hastío.

LAGARTA AL SOL

Cuando la lagarta tenía la edad del lagartijo, los comerciantes dejaban al cliente con la palabra en la boca y salían hasta la puerta para verla pasar. No fue hace tantos años (la lagarta no es vieja aunque lo parezca), que fue poco antes de empezar el fregado del 36. La lagarta tiene una historia vulgar, demasiado vulgar y que no merece la pena ni repetir. La lagarta fue bella y espigada, después la derrotaron entre la maternidad, la cocina de aceite de oliva y el anís. La lagarta tuvo once hijos, todos muertos antes de los tres años de vida. La lagarta nunca gastó talento y jamás supo sacar partido de sus condiciones naturales. La lagarta fue siempre demasiado ca-

chonda para puta. La lagarta no es de la ciudad, que es forastera. La lagarta nació en los Monegros, país donde el vendaval despega las peñas de la corteza de la tierra y barre los árboles como si fueran vilanos. La lagarta alquila dos habitaciones que tiene, prepara desayunos de encargo, lava la ropa de los huéspedes si se tercia y se lo piden. La lagarta lleva ya algún tiempo apartada de la vida, lo que no quiere decir que, si la ocasión salta como un conejo, se niegue al sacrificio. A la lagarta le gustan los hombres y no se lo calla. ¿Qué malo tiene? Peor sería que le gustasen las mujeres. A la lagarta también le gustan las mujeres, pero esto no lo dice (o al menos, no lo dice muy claro). La lagarta ganó un concurso de charlestón el año 1934. A la lagarta le tocaron una vez quince mil duros a la lotería. La lagarta se compró dos colchas de lujo (que aún conserva) y el resto se lo gastó, no recuerda bien en qué. La lagarta padece de varices, el practicante dice que no le conviene estar mucho tiempo de pie. La lagarta es feliz porque se conforma con lo que tiene y nunca le faltan diez reales para una copa. Los lagartos son felices casi siempre, porque toman el sol y hacen, más o menos, lo que quieren. Los sapos, en cambio, suelen ser animalitos muy desgraciados. La lagarta guarda, en una caja de botas, quince o veinte fotografías en las que aparece joven y desnuda. La lagarta fue modelo de un fotógrafo

que hacía fotos de arte (señoritas en cueros y a
contraluz, casi siempre). La lagarta, a veces,
abre su caja de botas y enseña las fotos a los
huéspedes y a las visitas.

—¿Es su hija?

—No, yo no tengo hijas. Soy yo, cuando era
joven.

—¿Usted?

—Sí, yo. ¿Qué pasa?

La lagarta suele tomar el sol a la puerta; es un
entretenimiento barato y con el que no se hace
mal a nadie.

AQUÍ TERMINAN LOS CINCO TRANCOS

No culpemos a nadie, que el pecado es de todos. Vayámonos en silencio y llevando a rastras el fantasma de nuestra maltrecha conciencia. Aquí terminan los cinco ejercicios de las izas, las rabizas, las colipoterras, las hurgamanderas y las putarazanas. El que esté limpio de pecado que tire la primera piedra sobre la mujer. Absténganse los señalados por Cristo: el mentiroso, el prevaricador, el usurero, el perjuro, el hipócrita, el mal amigo, el mal hijo, el falsario, el desleal, el

soberbio, el lujurioso, el intrigante, el calumnia-
dor, el intolerante, el vengativo, el orgulloso, el
pedante, el cruel...

ACTA EST FABULA

*Palma de Mallorca, 31 de enero a 13 de febrero
de 1963.*

INDICE

Impreso en el mes de febrero
de 1984, en los talleres de
DIAGRÁFIC, S. A., Constitució, 19,
Barcelona - 14.

PALABRA MENOR